CW00664730

Timothée de Fombelle

# Victoria rêve

GALLIMARD JEUNESSE

Ce texte a précédemment été publié en 2012
dans le magazine *Je Bouquine*.

# 1

## Quelque chose dans sa vie

Victoria se retourna vers celui qui la suivait dans l'ombre. Elle colla la pointe d'un crayon sur la gorge de l'inconnu.

Il faisait nuit.

– Ne bouge pas, charogne, murmura-t-elle.

Essoufflée, elle le fit reculer contre le mur. Un grand espoir l'envahit. Le jour qu'elle attendait était enfin venu…

Depuis longtemps, Victoria rêvait de

dangers, de poursuivants armés, d'amis qui se battraient pour elle à l'épée, de rivières à traverser à la nage traquée par des ours. Oui, des ours. Elle voulait une maison sur pilotis, un bonnet en fourrure, des chevaux sauvages, des missions en Sibérie ou dans l'espace. Elle voulait des parents otages des Pygmées qu'il serait impossible de libérer. Elle rêvait d'un chien qui lui arriverait au menton et la protégerait des lions venus boire dans le lac où elle se laverait une fois par mois, maximum.

Victoria voulait une vie d'aventures, une vie folle, une vie plus grande qu'elle.

Et l'on disait tout autour d'elle : « Victoria rêve. »

Car Victoria habitait rue de la Patinoire, dans la petite ville de Chaise-sur-le-Pont. La ville la plus calme du monde occidental. Elle allait au collège Pierre-Martial, à l'ombre des tours de la cité des Aubépines. Aucun Pygmée n'avait jamais touché à ses parents, qui la forçaient à se laver tous les soirs. Pire encore, aucune créature n'était jamais tombée amoureuse de sa sœur aînée et n'avait eu la bonne idée de l'emmener pour toujours sur sa planète.

Non, sa maison n'était pas sur pilotis : elle était comme celle des voisins de gauche, comme celles des voisins de droite et des voisins de derrière. Victoria n'avait pas de chien, pas de chevaux, pas de vrais amis. Rien. Il n'y avait même, pour être tout à fait sincère, pas un seul lion à Chaise-sur-le-Pont, ni dans le reste du département. Il y avait un endroit qu'elle refusait d'appeler le *lac*, même s'il était entouré d'un « chemin du lac », d'une « buvette du lac », d'une « plage du lac ». Tous des menteurs. Cet endroit aurait mérité le nom de lac s'il avait été couvert de flamants roses qui s'envoleraient au petit matin quand elle y poserait son hydravion. Mais c'était une flaque d'eau avec des vapeurs de vaisselle tout autour. La flaque n'était traversée que par des pédalos et Victoria n'avait pas d'hydravion.

Victoria, son hydravion, il faisait de la voltige dans sa tête en dessinant des boucles blanches, et les troupeaux de buffles traversaient seulement le plafond de sa chambre quand elle rêvait, les yeux ouverts, sur son lit.

Elle n'avait pas même un ou deux ennemis au visage tatoué qui auraient pu la provoquer au sabre sur un bateau corsaire, pas même un singe apprivoisé dans sa poche, pas même un chapeau de mousquetaire pour se promener sous la lune.

– Jo ? C'est toi ? souffla-t-elle.

Pendant presque vingt minutes, Victoria avait espéré une affaire sérieuse. Enfin quelque chose ! Enfin ! Elle avait cherché à semer cette ombre qui la suivait, qui se faufilait le long des murs dans la rue.

C'était l'hiver. Il faisait nuit à six heures du soir. Elle revenait de la bibliothèque avec un sac de livres. Elle n'avait jamais accéléré le pas mais simplement tourné dans des ruelles en s'écartant des fenêtres éclairées. Elle sentait la présence de la menace derrière elle. Victoria avait espéré que c'était un jeune vampire, un espion anglais ou un revenant.

Mais c'était le petit Jo.

– Jo !

Furieuse, elle ne voulait pas écarter son crayon de couleur de la gorge du garçon. Le lampadaire clignotait au-dessus d'eux.

Jo n'était pas vraiment petit mais il avait

un an de moins qu'elle. Et un an, c'est énorme. C'est une éternité. Pour Victoria qui avait tellement hâte de grandir, le temps passait très lentement. Alors, en remontant cette année de différence, elle avait l'impression de plonger dans la préhistoire.

Jo habitait au bout de la rue avec sa mère, dans la cité des Aubépines. Il avait en toutes saisons une écharpe très longue qui le faisait ressembler au Petit Prince, les mêmes cheveux ébouriffés, mais noirs, plus noirs encore que cette nuit d'hiver.

Pour Victoria, Jo serait à jamais *le petit Jo*, même s'il venait d'entrer en seconde. Car Jo sautait des classes, avec la facilité extraordinaire des petites filles qui sautent à la corde. Il avait trois ans d'avance. Il avait doublé Victoria quelques années plus tôt, entrant au collège à la fin du CM1 puis, d'un saut de biche, rebondissant en cinquième au beau milieu de son année de sixième. Cela avait été si rapide que Victoria l'avait à peine vu passer dans sa classe. Un courant d'air.

– Qu'est-ce que tu me veux, vaurien ? dit-elle. Pourquoi tu me suivais ?

Jo attendit qu'elle éloigne le crayon de sa gorge.

– C'est toi qui as emporté les trois Cheyennes ? demanda-t-il.

– Quoi ?

– On m'a dit que tu les caches chez toi depuis un mois.

Les yeux de Victoria s'allumèrent. Elle ne voyait pas du tout de quels Cheyennes Jo parlait, mais elle sentit palpiter dans ces mots la volupté du mystère.

Victoria avait toujours parfaitement fait la différence entre son imaginaire et la vraie vie. C'était même la conscience de cette différence qui lui faisait trouver la réalité si plate. La phrase de Jo provoqua donc chez elle un électrochoc. Elle imagina des Indiens tapis dans sa penderie, et elle se demandait déjà ce qu'elle répondrait quand sa mère voudrait savoir d'où venaient les plumes sur la moquette.

Victoria chuchota vers Jo :

– Qui t'a dit ça ?

– Duparc.

– Duparc ?

Elle connaissait bien Mme Duparc, une femme tranquille, rousse, avec des tailleurs pervenche et des boucles d'oreilles en plastique, qui n'était pas du genre à se mêler de trafics d'Indiens. Victoria ne voulut rien montrer de sa surprise.

– La fille de chacal, Duparc ! Elle m'a démasquée !

– Si tu libères les trois Cheyennes demain, expliqua Jo, elle a promis que tu n'aurais pas d'ennuis.

– On ne parle pas d'ennuis, on parle de mon scalp, dit Victoria en empoignant l'écharpe de Jo. Si d'autres apprennent que je les cache chez moi, je suis fichue. À qui en as-tu parlé ?

– À personne. Mais Léa Garcia les cherche aussi.

– Léa ?

– Oui.

La conversation devenait folle.

Léa était dans la classe de Victoria. On connaissait Léa Garcia dans tout Chaise-sur-le-Pont, parce qu'elle était passée à la télé pour un concours de chanson.

– Qu'est-ce qu'elle veut à mes Indiens, Léa ? Leur chanter ses salades ?

– Elle doit faire un exposé.

Cette fois, Victoria lâcha le petit Jo. Elle détestait Léa Garcia et sa manière de se caresser les cheveux comme si elle était son propre caniche, mais il fallait avouer que l'idée était belle…

Fermant les yeux, Victoria imagina Léa entrant dans la classe pour faire un exposé, avec trois Cheyennes en grande tenue derrière elle. Elle glisserait ses doigts dans les franges des costumes, ferait passer dans les rangs une hache de guerre. Les Cheyennes diraient quelques mots dans leur langue. Ils termineraient par une petite danse autour du professeur d'histoire.

– Si tu les as avec toi, supplia Jo, dis-le-moi.

– Qui ?

– Les trois Cheyennes.

Nouveau vertige de Victoria. Elle regarda

Jo puis montra son sac. Même un nourrisson cheyenne n'aurait pas tenu là-dedans. C'est à ce moment qu'elle vit, par-dessus l'épaule de Jo, la voiture arrêtée au feu rouge.

Elle reconnut celle de ses parents avec la trace de portail sur le pare-chocs avant. La lumière intérieure était allumée. De la buée coulait sur les vitres.

Au volant, à cinq mètres d'elle, il y avait un homme entièrement habillé en cowboy. Il ne la remarqua pas dans l'ombre. Un fusil était posé devant lui, le long du pare-brise. Victoria regarda Jo qui n'avait rien vu. Le feu passa au vert. La voiture démarra.

– Bon, dit-elle.

L'homme au volant, c'était son père. Elle frissonna. Peut-être qu'enfin il se passait quelque chose dans sa vie.

# 2

## Un petit tas de poussière

Le père de Victoria ne s'habillait pas en cow-boy.

Jamais.

Le père de Victoria était un employé sérieux. Il travaillait dans le pâté. Il était chef de produit à la Manupadec, la manufacture de pâtés et de conserves établie à quinze kilomètres de Chaise-sur-le-Pont, vers l'est.

Un jour, Victoria avait furtivement vu,

entre deux portes, son père faire un petit pas de tango avec sa mère dans la cuisine. C'était la plus grande fantaisie que ses parents aient jamais commise devant elle, et Victoria y pensait souvent. Un autre soir, en plein dîner, cela datait de quelques semaines, son père s'était brusquement pris la tête entre les mains et avait quitté la pièce avant le dessert. Autour de la table, tout était resté comme suspendu... Pendant la fin du repas, seule l'horloge, debout dans un coin, avait osé continuer de battre.

Ces deux souvenirs étaient les rares dérapages jamais observés par Victoria. Mais le déguisement de cow-boy et le fusil, c'était l'impossible, c'était l'impensable. Oui, l'inimaginable.

Le père de Victoria avait deux costumes couleur pigeon, deux cravates et deux paires de chaussures dans les mêmes teintes. Il avait deux manteaux noirs, dont l'un était imperméable. Chaque matin, pendant le petit déjeuner, un homme à la radio lui disait lequel de ces deux manteaux il devait porter. Temps couvert avec risque d'averse ou ciel bleu à volonté. À sept heures cinquante-neuf, quand l'homme de la météo avait parlé, le père de Victoria coupait la radio, se levait, décrochait le manteau recommandé et sortait. Mais jamais personne, dans le poste, n'avait suggéré à quiconque de s'habiller en cow-boy à cause d'un risque d'embuscade au feu rouge de Chaise-sur-le-Pont.

Victoria rentra chez elle et s'enferma dans sa chambre. Elle avait quitté le petit Jo à toute vitesse, sans élucider son histoire de Cheyennes. Elle alla vérifier à tout hasard que les trois Indiens n'étaient pas dans son placard – ce soir-là, tout paraissait possible. Mais Victoria ne vit rien d'autre que ses vêtements suspendus qui ondulèrent comme des fantômes quand elle tira la porte.

Assise sur sa chaise au milieu du tapis, Victoria se mit à réfléchir. Elle sentait ses mains trembler sur ses genoux. Que se passait-il dans sa vie ?

L'ampoule, juste au-dessus, dessinait un rond de lumière parfait autour d'elle.

La chambre de Victoria était très simple. Elle n'était pas comme les autres. Il n'y avait pas l'inévitable affiche des Blue Rabbits, avec le chanteur aux yeux bleus et ses musiciens blafards. Ni de photo dédicacée de Cindy Valentin ou de Jessica Crown. Il n'y avait pas le mur de cartes postales épinglées au-dessus du bureau, rempli de surfeurs, de poneys et de paysages d'automne. Ce n'était pas la chambre de Léa Garcia : c'était la chambre de Victoria. Il n'y avait pas de plan du métro de Londres rapporté d'un séjour linguistique, pas de ticket pour le concert des Infidèles, pas de photomontage hilarant d'un chien portant une pancarte *bon anniversaire*.

Il y avait seulement, à la hauteur de ses yeux, une longue étagère unique, remplie de livres, qui faisait le tour de la chambre. Cette ligne de livres, Victoria l'appelait l'horizon. Depuis quelques semaines, chaque jour, des livres disparaissaient étrangement de l'horizon.

Sur un carnet, elle avait fait le décompte de ces disparitions. Cela avait commencé par le coin des pirates, près de la porte. Trois livres en un seul jour. Puis deux romans d'amour, quelques jours plus tard, et *Alice au pays des merveilles*. Et beaucoup d'autres, envolés.

L'horizon se réduisait sous ses yeux.

Il y avait par ailleurs dans la pièce : un lit, un bureau, une chaise et un placard. Elle reprit son souffle. C'était encore largement suffisant pour rêver.

Victoria tourna sa chaise vers l'ouest. Elle repensait au visage de son père dans la voiture. Elle adorait les histoires de Peaux-Rouges, de trappeurs, de troupeaux de bisons dans les plaines. Alors, pourquoi n'était-elle pas plus heureuse de ce qui lui arrivait ? C'était comme si ses rêves avaient fait un petit détour par la vraie vie. Mais ce que Victoria n'aimait pas, c'était de ne pas contrôler cette irruption. L'excitation avait très vite fait place à la peur.

On frappa à la porte de sa chambre. Victoria sursauta. Tout devenait possible. Elle s'attendait à voir entrer un squelette en armure, ou peut-être la blonde Milady, la pire ennemie des Mousquetaires…

Mais sa mère entra, dans sa robe verte du mercredi.

– Tu es là, Victoria ?

– Où est papa ?

– Il est au travail. Il va avoir des réunions assez souvent le soir.

– Pourquoi ?

– À cause du pâté en tube.

Depuis trois ans, la Manupadec travaillait sur un pâté en tube qui allait révolutionner l'univers du pâté. Le père de Victoria en parlait souvent à table. Il disait : « On doit vivre avec son temps. La boîte, c'est le passé. L'avenir sera en tube. »

Il avait demandé à Victoria et à sa sœur de n'en parler à personne, ajoutant :

« Une idée comme celle-là, dans le pâté, il y en a deux ou trois par siècle. Je n'ai pas le droit de la laisser filer. »

Il avait parlé à voix basse de *secret industriel*, de *pression de la concurrence*. Sa famille devait donc se taire. Pas un mot à l'école.

Franchement, pour être honnête, il n'y avait pas de gros risques. Victoria ne se voyait pas discuter de rillettes en tube dans la cour du collège, alors qu'elle n'arrivait même pas à trouver quelqu'un à qui raconter ses rêves de voyage en ballon au milieu des canards sauvages, ses projets de fugue dans les prairies de l'Alberta ou de chasse au castor.

– Papa a pris la voiture ? demanda Victoria à sa mère.

– Oui. Pourquoi ?

Victoria vit bien que sa mère ne savait

rien. Elle ignorait tout des aventures au Far West de son mari. Sinon, on l'aurait remarqué : sa mère mentait terriblement mal. La dernière fois, c'était pour dire à ses filles que la femme du voisin était partie en vacances, alors que Victoria savait bien que la voisine avait quitté son mari pour toujours. Les voisins se disputaient tellement qu'on retrouvait souvent des casseroles dans le jardin, tombées là comme des météorites.

En risquant ce mensonge, la mère de Victoria était devenue de ce rouge éclatant qui lui allait si bien. Victoria avait déjà vu la même couleur sur ses joues quand elle avait surpris ses parents dansant dans la cuisine.

– Tu viendras dîner ? dit seulement la mère.

– J'arrive.

– Ta sœur a appelé. Elle a fait Venise aujourd'hui. Elle dit que ça sent mauvais.

« Faire Venise ». Victoria haïssait ces formules. Sa sœur était en voyage de classe en Italie avec le lycée. Cet éloignement aurait dû provoquer le bonheur de Victoria. L'extase intégrale. Mais, par malheur, sa sœur appelait tous les jours la famille, et ses récits d'Italie étaient un supplice chinois.

Elle avait d'abord « fait » Rome. Ils avaient visité des ruines avec un archéologue. Elle avait donc raconté à sa mère en pleurnichant que tout était cassé dans la ville et que la nourriture la faisait grossir.

Depuis toujours, Victoria, elle, rêvait de Rome, de l'Italie, de Venise ! Elle croyait avoir conduit toute sa vie des chars tirés par six chevaux, à quatre-vingt à l'heure dans le Circus Maximus. Victoria connaissait la moindre ruelle de Venise, grâce à un gros guide de la bibliothèque. Sans jamais y avoir mis les pieds, elle était vénitienne, elle était marquise, elle aimait un seigneur qui habitait le quartier de Santa-Margherita. Victoria avait choisi un palais sur le plan. Elle croyait l'habiter, la nuit, avec une porte qui donnait sur un canal sombre où l'on pouvait toucher les murs des deux côtés en passant en gondole. Victoria, dans son lit, écoutait le bruit de la pluie sur l'eau verte, les rires des couples masqués qui se réfugiaient sous son porche.

Et voilà que sa sœur débarquait comme une barbare sur les quais de Venise et mettait la ville à feu et à sang en disant que ça sentait mauvais ou que son portable captait mal sous le pont des Soupirs ou qu'elle devenait énorme, que les pizzas et les pâtes faisaient exploser la résille de ses collants.

Ah ! comme Victoria regrettait le temps où, à Venise, on oubliait des jeunes filles dans des cachots pendant des années ! Elles en sortaient très vieilles, ridées, aveuglées par la lumière du Grand Canal.

Mais la sœur de Victoria était déjà vieille à dix-sept ans. Alors ? Qu'est-ce qu'un cachot humide aurait pu y changer ?

Victoria dîna seule avec sa mère. C'était très rare. Elle se souvenait de quelques déjeuners en tête à tête les jours de grippe, quand elle était petite. Elle aimait cela. Elle pouvait se rappeler le goût du sirop contre la toux, le coussin bleu que sa mère lui mettait dans le dos, sur sa chaise, pour qu'elle ne se fatigue pas : « Tu es sûre que ça va, ma chérie ? »

C'était de beaux souvenirs, douillets,

délicats. Le reste du temps, il y avait toujours eu autour de la table un ou deux pique-assiette pour parler de pâté en tube, de régime ou de permission de sortie.

Dans son coin, l'horloge battait sagement les secondes. Cette grande horloge de deux mètres était la seule présence qui réconfortait Victoria dans la maison. Le seul bel objet. La seule voix ancienne.

Encouragée par l'étrangeté de cette journée, Victoria voulut profiter du moment qu'elle passait avec sa mère. Elle posa ses deux mains à plat sur la nappe et demanda :

– Est-ce que tu as eu d'autres amoureux avant papa ?

Quitte à poser une question intime tous les dix ans, autant y aller carrément. Elle aurait aussi aimé lui demander si elle n'avait jamais rêvé de faire de la moto sur la plage en septembre ou de tout quitter en partant à pied par les toits.

La cuillère de la mère de Victoria glissa entre ses doigts et disparut dans la soupe.

– Pardon ?

Glacée, elle battait des cils au rythme de l'horloge. Victoria attendait. La mère bafouilla :

– Regarde ce que tu me fais faire. Ne dis pas de bêtises, enfin, tu es folle ?

Et Victoria vit sa mère se précipiter vers le buffet pour y chercher une nouvelle cuillère. Elle fouilla longtemps dans le tiroir. On ne voyait que son dos mais le rouge venait jusqu'à l'arrière de son cou, à la lisière de ses cheveux relevés. Même de dos, elle devenait belle quand elle rougissait.

Victoria ne tenta pas de nouvel assaut. Le repas se termina en silence avec, pour tout réconfort, le balancier grave de l'horloge dans son coffre de bois.

Victoria pensait à tout ce qu'avait entendu cette horloge au fil de sa longue vie. Des disputes et des retrouvailles, des meurtres peut-être, des déclarations d'amour. L'horloge se retrouvait maintenant condamnée à supporter des bruits de couverts, des bavardages et les annonces météo de Chaise-sur-le-Pont.

Si elle avait été cette horloge, Victoria savait qu'elle se serait déjà évadée. Ouvrir la fenêtre. Partir. Qui eût remarqué une horloge en fuite dans ces rues où personne ne regardait personne ?

Enveloppée d'une cape noire, elle aurait sauté dans un train vers le sud. Elle ne serait plus jamais revenue.

– Tu vas en classe à dix heures demain ? demanda sa mère en se levant.

– Oui.

– Tu te débrouilleras ou je te réveille avant de partir ?

– Devine.

Victoria alla se coucher en emportant son dessert.

Étrangement, cette nuit-là, elle rêva du petit Jo. Il grimpait dans un vallon enneigé, la nuit, sur un cheval mustang. Il suivait des traces dans la neige. Et Victoria montait en amazone derrière lui et le tenait par la ceinture. Des étoiles tombaient doucement autour d'eux.

Quand Victoria se réveilla, ses parents étaient déjà partis au travail. Elle s'étira, encore un peu courbaturée de son rêve.

Pourquoi avait-elle rêvé du petit Jo ? De cette promenade ensemble dans la nuit d'hiver ?

Elle regarda l'horizon. D'autres livres avaient encore disparu de sa chambre. Il manquait le grand Cyrano et deux petits volumes de poésie. Elle poussa la porte, marcha pieds nus dans la maison. Elle entra dans la salle à manger. Il régnait un silence inhabituel. Un silence de mort. Elle fit un pas – le vrai parquet ne grinçait même pas sous le parquet en plastique.

Personne n'est obligé de croire ce qui va suivre. On a toujours le droit de ne pas croire ce qui est écrit dans les livres. On pourra dire encore « Victoria rêve ». Mais, quand elle se tourna vers le coin de la pièce, quand ses yeux fouillèrent l'ombre, la grande horloge n'était plus là.

L'horloge était partie en ne laissant derrière elle qu'un petit tas de poussière.

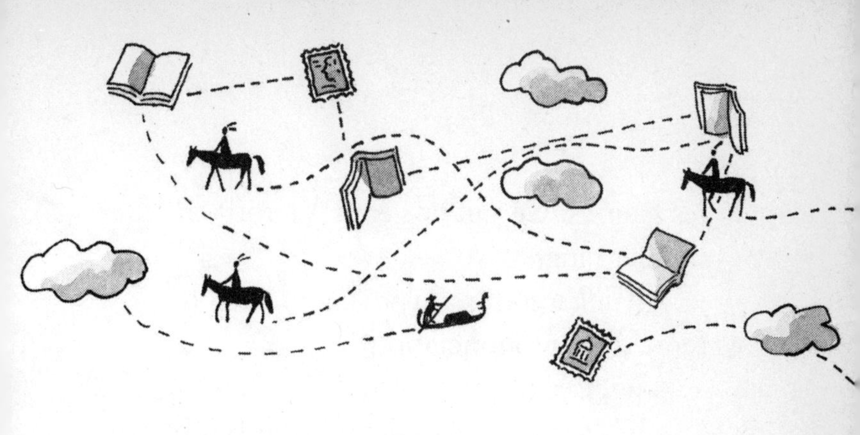

# 3

## Comme une invasion

Léa Garcia se caressait les cheveux. Elle le faisait lentement, au premier rang, en écoutant la professeur d'anglais parler d'amour. Mlle Biron faisait les cent pas dans la classe.

– Bill aime Charlotte, disait-elle en anglais. Charlotte n'aime pas Bill. Charlotte préfère les gaufres.

Et toute la classe fut obligée de répéter en anglais que Charlotte préférait les gaufres. Ce qui fit gémir Victoria au dernier rang.

– *Waffles*, corrigea la professeur, mécontente de la prononciation.

– *Waffles*, répéta la classe.

– *Waffles*, articula encore Mlle Biron en montrant Léa Garcia du doigt.

– *Waffles*, dit brillamment Léa en solo.

– *Charlotte loves waffles*, résuma Mlle Biron.

Victoria, au fond de la salle, écoutait tout ce petit monde s'échanger des gaufres à gorge déployée. Elle se demandait pourquoi, en cours d'anglais, on ne lisait pas plutôt des histoires de détectives fouillant des hangars à la recherche d'un tueur fou, ou les passions d'une veuve de vingt ans au bord de la mer, des histoires d'orphelins, de rois, de chiens jouant du piano dans les bars, de pilotes de guerre pendant le bombardement de Londres. Peu importait. Mais tout, oui, TOUT sauf l'amour éperdu de Charlotte pour une gaufre, ou celui de cet imbécile de Bill pour une fille qui ne le méritait pas.

Cependant, Victoria ne se laissait pas distraire par son exaspération. Elle surveillait Léa Garcia du coin de l'œil.

Victoria avait décidé d'agir. Ces histoires d'Indiens, de cow-boys, d'horloges en cavale, cela commençait à faire trop. Il fallait qu'elle comprenne ce qui lui arrivait. Elle regardait Léa qui entourait une mèche de cheveux autour de son doigt.

Près d'elle, quatre garçons avaient du mal à rester concentrés sur les gaufres de Mlle Biron. La bouche ouverte, ils suivaient chaque mouvement des boucles de Léa Garcia, chaque vague blonde, comme si un surfeur était en train d'y glisser au péril de sa vie. De temps en temps, Léa envoyait brusquement toute sa chevelure de l'autre côté. Victoria avait vu des chevaux faire la même chose avec leur crinière quand les mouches se faisaient trop nombreuses.

– Est-ce que vous avez nos copies, miss Biron ? osa demander quelqu'un.

– Miss Baïronn, corrigea Mlle Biron qui tenait à cette prononciation exotique.

Puis elle enchaîna très vite, en anglais, une dizaine de phrases incompréhensibles qui devaient justifier le retard des corrections.

De toute façon, Mlle Biron ne rendait jamais une seule copie. Elle ordonnait des contrôles à chaque cours, mais devait probablement manger en porridge tout le papier qu'elle emportait. À la fin du trimestre surgissait une moyenne générale tombée d'on ne savait où. Elle donnait ensuite une note d'oral qui était à peu près égale, pour chaque élève, au nombre de timbres britanniques que celui-ci lui avait apportés dans le trimestre.

Car Mlle Baïronn était philatéliste.

L'année précédente, Léa Garcia avait eu vingt sur vingt à l'oral quand elle avait gagné le week-end en Angleterre grâce au concours de chanson des magasins Couchard. Il avait suffi de deux carnets de timbres achetés en gare de Waterloo et le tour était joué.

La sonnerie retentit, la classe se leva d'un seul bond. La voix de Mlle Biron fut écrasée par le bêlement des chaises. On l'entendait à peine réclamer des timbres, en faisant barrage de son petit corps devant la porte.

– *Hey, kids, don't forget my stamps!*

Victoria se précipita dans le couloir.

Léa était déjà sur la première marche de l'escalier. Un garçon lui portait son sac. Un autre tenait son manteau. Tout en marchant comme au ralenti dans le flot d'élèves, elle faisait quelque chose d'étrange avec ses vêtements. Victoria mit du temps à comprendre que Léa Garcia était en train de retirer le tee-shirt qu'elle portait sous quatre couches de vêtements. Elle était spécialiste de ce genre de séances. Elle faisait semblant de s'évanouir de chaleur puis se trémoussait longuement pour retirer le maillot de corps le plus inaccessible, plutôt que d'enlever son gilet. Les garçons adoraient le spectacle de cette danse de chenille.

– Je peux te parler, Léa ? demanda Victoria.

Léa se tourna vers elle comme si Victoria

interrompait une cérémonie. Elle reprit son manteau et son sac.

– Vas-y, dit-elle.

– C'est personnel, dit Victoria.

Léa fit un sourire frondeur. Le sourire de l'horrible Jack McCall quand Calamity Jane le retrouva et lui dit qu'elle était là pour venger son vieil ami Hickok. Victoria ne vacilla pas. Léa se lissa la pointe des cheveux et fit signe aux garçons de s'éloigner. Le couloir était maintenant désert et silencieux. Pas le moindre grincement de volet au-dessus de l'échoppe d'un barbier. Même pas l'aboiement d'un chien.

– Tu sais de quoi je veux te parler ? dit Victoria.

– Non. Mais si c'est à propos de Jo…

– Jo ?

– Oui. Tout le monde est au courant.

– Qui ?

– Le petit Jo et toi… Vos promenades romantiques sous les étoiles.

Victoria resta muette. Jo et elle. Quelqu'un était entré dans son rêve. Le plancher se déroba sous ses pieds.

Peut-être était-elle en train de rougir pour la première fois de sa vie. Peut-être ressemblait-elle à sa mère dansant le tango en tablier bleu. Mais Victoria puisa en elle tout ce qui lui restait de forces pour dire :

– N'essaie pas de m'avoir. Tu sais très bien de quoi je veux parler.

Léa Garcia leva le menton vers elle.

– Ah bon ?

Victoria hésitait. Toutes ces histoires étaient complètement folles. Elle vit pourtant dans le reflet de la vitre qu'elle gardait les joues à peine roses et un visage tranquille. Cela lui donna le courage de dire ces mots imprudents :

– Les Cheyennes… Je sais que tu les cherches.

Léa Garcia fit une petite moue qui se transforma en ricanement.

Victoria inspira longuement. Comment avait-elle osé parler des Indiens ? Avec une Léa en porte-voix, une telle réplique allait faire le tour du collège en un instant. C'en était fini. Il ne resterait plus que le déménagement pour s'en sortir. Oui. Le déménagement.

On disait que, l'année précédente, une fille de cinquième, Lola, avait dû changer de ville simplement parce qu'elle s'était trompée de trousse pour y déposer un petit mot d'amour à l'attention d'un garçon. Le mot avait atterri dans les affaires de Léa Garcia. La vie de Lola s'était retrouvée en morceaux.

Victoria, maintenant, avait donc envie

de revenir en arrière, de ravaler ses mots qui déjà peut-être dévalaient l'escalier, mais Léa Garcia cessa de rire. Elle se passa la main dans les cheveux comme dans la crinière d'un poney portatif. Elle dit :

– Ça m'étonnerait que je les cherche.

– Qui ?

– Tes Cheyennes.

– Pourquoi ?

– Parce qu'ils sont déjà chez moi. Dans ma chambre.

Un mélange de soulagement et de colère envahit Victoria. D'un côté, elle était rassurée de ne pas s'être trompée en parlant des Indiens, mais l'idée des trois Cheyennes assis en tailleur sur la moquette blanche de Léa, avec son chat teigneux qui gardait la porte, cette vision déchaîna sa jalousie.

– C'est ton petit Jo qui t'a dit que je les voulais ? ajouta Léa.

– Je ne vois pas de qui tu parles.

– Ah oui ?

Victoria recula dans le couloir. Elle en avait assez entendu. Léa était toujours sur la première marche. Victoria continua de s'éloigner lentement, sans tourner le dos à Léa. Elle marchait à reculons dans le couloir vide. Elle avait l'impression de sentir autour d'elle la poussière chaude d'une rue mexicaine.

À six heures du soir, Victoria entendit son père rentrer. Elle attendait dans sa chambre, l'oreille collée à la porte. Il sifflotait avec très peu de naturel un air inconnu. Elle laissa passer quelques secondes, poussa la porte et se retrouva face à lui.

– Bonsoir, Victoria.

– Bonsoir.

Ses discussions avec son père ressemblaient toujours à celles qu'on a avec un voisin quand on lui parle par-dessus une haie.

– Il ne fait pas chaud, ou je me trompe ? s'exclama d'ailleurs son père.

On croyait presque entendre le bruit de la tondeuse à gazon. Mais ce soir-là, en plus, le père de Victoria avait exactement la tête du voisin, celui qui avait été quitté par sa femme. Il avait l'air fatigué, les coins de sa bouche retombaient tragiquement, ses yeux se promenaient par terre, sans vouloir croiser ceux de Victoria.

Pour la première fois, pourtant, cet homme, son père, attira son attention. Elle le regardait vider ses poches dans la coupe qu'il avait gagnée au ping-pong à l'âge de quatorze ans et qui ne quittait pas la petite table de l'entrée. Il prit ensuite la coupe entre ses mains pour l'inspecter.

Il avait toujours dit à ses filles que cette coupe était en argent massif et qu'à l'époque, dans sa jeunesse, on ne rigolait pas avec les récompenses, même au tournoi de ping-pong du camping des Vasières à Barlodu.

Il reposa la coupe et se tourna enfin vers Victoria.

– Maman est là ?

– Oui, je suis là, répondit une voix dans la pièce d'à côté.

Ce soir-là, quand Victoria vit son père hasarder un petit sourire, elle le trouva beau. Oui, beau. Elle n'avait jamais pensé à cela auparavant. Elle n'avait même jamais eu aucun avis à ce sujet. Mais avec cette mèche un peu décollée sur le front, avec cette belle fatigue, ce regard qui tout à coup lui échappait, il devenait un homme.

*L'homme* passa le seuil de la salle à manger. Victoria entendit sa mère lui dire :

– Ta fille t'attendait pour te demander si elle pouvait passer à la bibliothèque, qui ferme à huit heures. Moi, je ne sais pas, parce qu'elle y est déjà allée hier, alors quand même ça fait beaucoup…

Victoria, seule dans l'entrée, se demandait vaguement où était le danger mortel à se rendre deux jours de suite en bibliothèque.

Elle s'approcha du portemanteau, souleva l'imperméable de son père. Tout le bas était couvert de boue. Victoria recula d'un pas. Elle n'avait donc pas rêvé.

Derrière la cloison, son père ne répondait pas. Il avait probablement poursuivi une quinzaine de desperados dans la journée, il devait être épuisé. Il y avait peut-être deux balles logées dans le cuir de ses bottes.

En revenant toucher du bout des doigts un morceau d'herbe collé au manteau, Victoria cria :

– S'il te plaît, papa. Laisse-moi y aller. J'ai deux livres à rendre.

– J'ai beaucoup de respect pour les livres, dit simplement son père qui avait tant de respect pour eux qu'il n'en avait jamais touché un seul de sa vie.

Victoria entra dans la salle à manger. Elle avait décidé de ne pas parler de la disparition de l'horloge. Plus sa fuite serait découverte tardivement, plus l'horloge aurait le temps de prendre de l'avance sur ses poursuivants et de gagner des contrées lointaines. De toute façon, la poussière avait été balayée. Et le silence de la pièce ne semblait surprendre personne.

– Moi, je ne serai pas là ce soir, dit le père. J'ai cette réunion, encore, dans une heure. Il semble que notre pâté en tube va faire une petite révolution, si vous voyez ce que je veux dire.

Il tentait péniblement de sourire.

– Qui aurait dit que j'épouserais un révolutionnaire ? dit sa femme en inversant la position de deux chaises – ce qui fit grincer le vieux parquet caché sous le parquet en plastique.

– Je peux sortir ? demanda Victoria.

– J'ai eu sa sœur, la pauvre, au téléphone, mon Dieu, tu n'imagines pas…

– Je peux ? insista Victoria.

– Oui, oui, tu peux, répondit le père.

Victoria attrapa un blouson dans l'entrée et eut juste le temps d'entendre :

– J'ai eu sa sœur, elle fait Vérone depuis ce matin.

– Elle fait quoi ?

– Vérone. C'est une ville.

– Ah, Vérone.

– Oui, et elle est ravie de revenir samedi, parce que, la pauvre…

Victoria claqua la porte de l'entrée juste à temps. Elle n'entendrait personne se lamenter des restaurants italiens où le serveur ne parle même pas français, ni de la brusque poussée d'acné de sa sœur en face du balcon de Roméo et Juliette.

Victoria s'engouffra dans la nuit. Depuis quelque temps, un monde imaginaire débarquait dans son existence. Elle avait l'impression d'une foule de personnages qui descendaient de sa bibliothèque en rappel pour venir semer leur pagaille. Victoria voulait savoir ce qui lui arrivait.

Y avait-il un lien avec les livres qui disparaissaient de sa chambre ? Toutes ces pages étaient-elles en train de se glisser à l'intérieur de sa vie ?

Cela devenait sérieux, étourdissant, comme une invasion.

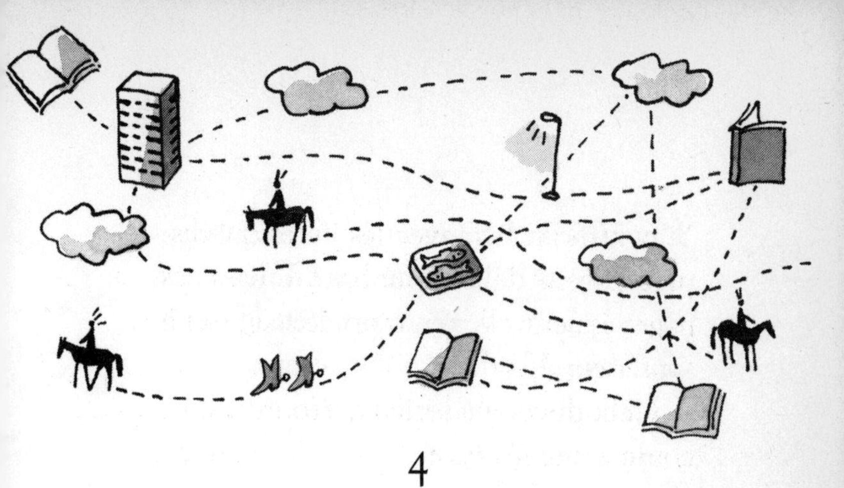

# 4

# Boîte à sardines et autres cercueils

Jo s'arrêta derrière une colonne. Il venait d'apercevoir les trois Cheyennes. Ils roulaient à quelques mètres de lui, prisonniers d'une cage qu'on poussait sur un chariot, sous les néons de la bibliothèque de Chaise-sur-le-Pont.

Jo les avait reconnus tout de suite, même s'ils paraissaient moins épais que dans son souvenir et beaucoup plus abîmés.

L'homme qui poussait la cage mesurait deux fois sa taille. Jo décida prudemment de ne pas suivre cette piste et de tenter une démarche plus diplomatique.

– Bonjour, madame Duparc.

Jo s'était approché du bureau des emprunts. Il portait quelques livres sous le bras. Il n'y avait pas un chat ce vendredi soir.

– Bonjour, mon bonhomme.

– Excusez-moi. Vous connaissez Victoria, du collège Pierre-Martial ?

– Oui.

– Est-ce qu'elle serait passée par ici aujourd'hui ?

Mme Duparc avait emmêlé une de ses boucles d'oreilles dans la chaîne de ses lunettes. Elle avait donc des soucis autrement plus urgents que les questions d'un lecteur.

– Mon bonhomme, vous n'êtes pas dans un club de rencontres.

– En effet, dit Jo.

S'ils avaient été dans ce genre d'endroit, il y aurait eu plus de monde autour d'eux à cette heure tardive.

La bibliothécaire essayait d'enlever les lunettes de son nez. Une des barrettes de son chignon s'était ajoutée à l'embrouillamini.

– C'est à cause d'un livre, madame Duparc...

– Un livre ? répéta-t-elle comme si elle ne savait pas ce que c'était.

Et elle écrasa malencontreusement le rouge de ses lèvres sur les lunettes.

– Oui. *Les Trois Cheyennes*.

– Ils viennent de revenir. C'est la petite Garcia, la chanteuse, qui les a rapportés.

On vit passer pour la première fois un

peu de douceur dans le regard myope de Duparc comme à chaque fois que quelqu'un parlait de Léa Garcia dans cette ville. Elle devait se souvenir de Léa chantant sur la neuvième chaîne avec ses couettes, sa jupe, sa voix de chaton malade et les panneaux « Léa, tout Chaise est debout derrière toi » qui étaient brandis dans le public.

– Hier, vous m'avez dit que c'était Victoria…

– Écoutez, mon petit bonhomme, débrouillez-vous avec vos affaires de cœur !

– Ce ne sont pas des affaires de cœur, dit calmement Jo. Je voudrais juste récupérer *Les Trois Cheyennes*.

– N'y comptez pas.

– Pourquoi ?

– Parce qu'il est parti à l'atelier de

réparation pour dix jours. La jeune Garcia a eu un problème avec son chat, la pauvre petite. Il a boulotté le livre.

– Boulotté ?

Mme Duparc voulut tirer un coup sec sur ses lunettes, se décrocha légèrement l'oreille, et poussa un cri strident qui fit s'enfuir Jo.

Il avait toujours sous le bras quelques livres ficelés ensemble. Il passa le portail de sécurité en les jetant au-dessus de lui pour ne pas déclencher l'alarme.

Ces livres ne venaient pas de la bibliothèque mais ils sonnaient partout, même dans les supermarchés, comme des objets interdits. C'était des livres de philosophie. Jo les avait empruntés au lycée. Il étudiait chaque nuit en prévision de la prochaine classe qu'il sauterait.

Il poussa la porte en verre, fit un tour

de plus avec son écharpe autour de son cou et descendit dans le jardin qui entourait la bibliothèque.

Les allées étaient éclairées. Le reste du jardin demeurait dans le noir total. Deux fois, Jo eut l'impression de voir passer une ombre derrière les buissons mais il ne s'arrêta pas. En quelques minutes, il arriva dans l'avenue qui menait à la cité des Aubépines. Un chien traversa au loin, devant lui.

Jo leva les yeux. Il habitait au dix-huitième étage. Sa mère devait l'attendre là-haut. On voyait une cuisine allumée. Une bonne partie de la barre d'immeuble était éteinte à cause de sa prochaine destruction. Il ne restait plus qu'une mosaïque de lumières enroulées autour de l'escalier F.

Il passa la porte, se dirigea vers l'ascenseur. C'est à ce moment que Victoria lui tomba dessus.

Elle l'attendait, perchée en haut des boîtes aux lettres, et elle sauta sur lui comme une bombe. Victoria n'était pas bien lourde. Mais tout objet qui tombe du ciel chute à la même vitesse quelle que soit sa masse. Jo connaissait bien cette loi de la physique et il en vérifia l'exactitude en s'effondrant sur le sol.

Elle le colla au carrelage, le tenant par l'écharpe. C'était la seconde fois en deux jours que Victoria n'était pas loin de l'étrangler.

– Qu'est-ce que tu as raconté à Léa ? demanda-t-elle.

– Quoi ? bafouilla Jo.

– Qu'est-ce que tu lui as dit ?

– Rien. C'est Duparc qui s'est trompée. Lâche-moi.

– Duparc ?

– Je croyais que c'était toi qui les avais. Mais c'était elle. Léa. Elle les a filés à son chat.

– À qui ?

Une fois de plus, Victoria ne comprenait rien. Que venait faire le chat de Léa dans leur histoire ? De quoi parlait Jo ?

– Je te dis que tu fais courir des bruits sur nous, dit-elle.

– Sur nous ? Je ne fais rien courir du tout. Sur personne.

Victoria relâcha sa pression, elle retira son genou de l'estomac du petit Jo. Elle sentait son souffle sur sa main qui tenait l'écharpe.

– Qu'est-ce qu'on dit sur nous ? demanda Jo.

– Des histoires. On dit qu'il y a des histoires.

Silence.

– Quel genre d'histoires ?

Se mordant les lèvres, Victoria regardait légèrement à côté de lui.

Elle n'avait pas envie de lui faire un dessin.

– Ça t'embête qu'on raconte ces histoires ? interrogea Jo.

– Quelles histoires ?

– L'histoire qu'il y a des histoires entre nous.

Elle lâcha complètement l'écharpe. Elle se releva et s'appuya contre les boîtes aux lettres. Victoria regardait maintenant Jo, allongé par terre. Il était souriant. Il dit :

– C'est Edgar, un des valets de Léa Garcia, le roux qui lui porte son cartable. Il habite rue de la Patinoire.

– Comment ?

– Il nous espionnait par sa fenêtre hier

soir quand tu m'as attaqué. Je l'ai vu quand tu es partie. Il a dû en parler aux autres.

– C'est *toi* qui m'as attaquée, corrigea Victoria.

Ils attendirent un peu, immobiles. Un lointain réverbère faisait des traînées violettes dans l'obscurité. Aucun des deux n'avait envie de parler. Ils respiraient doucement. Jo voyait briller le blanc des yeux de Victoria.

Ce sont des silences dont on se souvient longtemps.

Soudain la lumière jaillit. La minuterie s'était mise en marche. Des pas résonnaient dans l'escalier. Jo sauta sur ses pieds, ramassa les livres et attrapa Victoria par la main.

– Viens.

Au même instant, on entendit des voix du côté de l'entrée de l'immeuble, à l'opposé. Jo et Victoria s'arrêtèrent. Ils étaient encerclés.

Jo poussa une porte qui ouvrait sur une petite cour. Ils passèrent sous la fenêtre du gardien, traversèrent une seconde cour, arrivèrent au local à vélos. La pièce était ouverte parce qu'elle n'abritait plus un seul vélo depuis longtemps. Les gens les montaient dans leurs appartements ou sur les balcons. S'ils avaient pu le faire, ils auraient aussi garé leurs voitures dans le salon. On ne sait jamais.

Après un dernier couloir, Jo et Victoria franchirent une porte très basse. Ils étaient dans la rue de la Patinoire.

Victoria ne connaissait pas cette sortie qui donnait presque chez elle.

Ils firent quelques pas ensemble sur le trottoir, s'arrêtèrent un instant contre un immeuble, en face de la maison de

Victoria. Jo n'avait pas lâché ses livres de philosophie. Il les tenait dans le creux de son bras. Dos au mur, tout à côté de lui, Victoria remarqua que Jo n'était pas beaucoup plus petit qu'elle.

Elle avait envie de lui parler de ce qui lui arrivait.

– Jo…, dit-elle.

– Oui…

Il releva les yeux un instant trop tard.

Victoria était déjà ailleurs.

Une voiture venait de se garer devant chez elle. C'était celle de son père. Il en sortit précipitamment, en laissant ronronner le moteur. Il se cachait dans son manteau noir mais Victoria vit furtivement dans les phares les clous d'argent de ses bottes de cow-boy. En une seconde, son père s'était glissé vers la porte du garage. Il revenait certainement chez lui à cause de quelque chose qu'il avait oublié.

Jo, à l'affût des mots que Victoria allait lui dire, n'avait encore rien vu de la scène.

– Pardon, dit-elle. Je dois te laisser.

Et elle courut vers la voiture arrêtée. Elle ouvrit le coffre, se glissa à l'intérieur et le referma sur elle. Une seconde plus tard, elle distingua le bruit d'un pas sur le trottoir. Elle s'écrasa un peu plus dans l'odeur d'essence mais elle entendit un déclic et sentit un courant d'air sur ses jambes. Quelqu'un venait d'ouvrir le coffre. Elle garda les yeux clos, comme si cela pouvait la protéger. Elle sentit alors qu'on jetait une sorte de sac à côté d'elle. Le coffre claqua. Une minute passa encore. Victoria retenait son souffle.

Nouveau bruit à l'extérieur, le moteur

rugit un peu plus fort, la voiture se mit en mouvement.

Elle entendit alors contre elle une voix d'outre-tombe murmurer dans le noir :

– Victoria…

Elle se retourna, prête à hurler.

Une main se glissa contre sa joue et étouffa son cri juste à temps.

– C'est moi, dit la voix, c'est Jo.

– Jo ?

Victoria lui attrapa le poignet.

– Je ne t'ai rien demandé. Qu'est-ce que tu fais là ?

– Je viens avec toi.

La voiture suivit un long virage. C'était peut-être une entrée d'autoroute. Victoria dut encore s'accrocher à Jo. Il était donc venu se jeter dans le coffre juste avant que le père de Victoria reparaisse.

La voiture roulait vite. Le bruit du moteur résonnait autour d'eux.

– On va où ? demanda Jo.

– Je ne sais pas, répondit Victoria.

Son père conduisait à une vitesse inhabituelle.

La tête de Victoria pesait sur l'épaule de Jo. Finalement, elle était contente qu'il soit là. La voiture accéléra encore.

– Victoria..., chuchota Jo.

– Oui.

– Je ne t'ai pas dit que j'ai retrouvé les trois Cheyennes...

– Où ?

– Ils sont enfermés dans la bibliothèque.

– Léa m'a juré qu'elle les avait.

– Non. Elle les a donnés à manger à son chat.

La voiture freina progressivement et s'arrêta, moteur en marche. On entendit s'ouvrir et se fermer une portière du côté droit. Quelqu'un avait rejoint le père de Victoria.

– Je suis désolé. J'avais oublié le fusil, dit la voix étouffée du père.

– C'est à Big Buffalo que tu expliqueras ça, répondit l'autre.

La voiture roulait assez lentement.

– J'ai mis du temps à trouver le fusil dans le garage. Je l'avais caché dans la chaufferie.

– Tu n'as toujours pas parlé à ta famille ? demanda l'autre voix.

– Si, bien sûr. Ils comprennent très bien. Je suis fier d'eux.

Victoria sentait des larmes enfler dans ses yeux. Son père mentait. Pourquoi ne leur avait-il parlé de rien ? Comme elle aurait été fière pourtant de cette autre vie, si loin du pâté en tube et des costumes couleur pigeon. Une vie dans les plaines, libre comme l'air, à cavaler derrière Big Buffalo.

– Vu l'heure, j'ai peur qu'ils aient donné mon cheval à quelqu'un, dit l'autre.

– C'est de ma faute. Je suis désolé pour le retard.

– Pour moi, ça va. C'est pour toi que je m'inquiète. Ils n'ont pas l'air décidés à te garder. Ils ont fait la peau à Gérard la semaine dernière parce qu'il a pris du poids, pour toi ils trouveront aussi quelque chose.

Victoria tressaillit. Son père n'avait rien à apprendre de personne. Qui donc voulait lui faire la peau ? Elle commença à s'agiter dans le coffre, tentée de sortir pour lui rendre justice. Mais Jo l'attrapa par le bras.

– Ne bouge pas.

Lui aussi était sidéré de ce qu'il venait d'entendre.

Cette fois, la voiture s'arrêta complètement. En un instant les deux hommes étaient sortis, les portes claquèrent une dernière fois, leurs pas s'éloignèrent et le silence revint.

– Mais où on est ? demanda Jo, abasourdi.

– On va voir, dit Victoria.

– Ce n'est pas gagné.

Jo avait raison. Il est aussi facile de sortir d'un coffre fermé de l'extérieur que de n'importe quels cachot, boîte à sardines et autres cercueils.

# 5

## Réveille-toi

Il ne fallut pourtant pas longtemps à Jo pour trouver le début d'une solution. En tâtonnant, il découvrit la boîte à outils de la roue de secours. L'extraction, dans le noir complet, de ce coffret caché sous le plancher fut un beau moment de contorsionnisme pour Jo et Victoria. Mais la boîte était bien garnie. Victoria permit à Jo d'utiliser les grands moyens. Il sortit d'abord un tournevis avec lequel il attaqua la fermeture.

– Tu n'aurais pas plutôt une hache ?

– Une quoi ?

Jo expliqua qu'on ne changeait presque jamais une roue avec une hache, qu'il n'y avait donc pas de hache dans la boîte à outils.

– Je dois sortir, dit Victoria. Mon père a besoin de moi.

– Laisse-moi un peu de temps.

Quand les travaux de serrurerie s'interrompaient, Victoria écoutait les bruits extérieurs. Elle imaginait autour d'eux des étendues immenses, quelques baraquements, un saloon et des hôtels en bois dans les lueurs du crépuscule. Leur voiture devait paraître bien singulière sur la terre rouge plantée de cactus. Plusieurs fois, elle crut entendre passer d'autres moteurs, mais ce devait être plutôt le gémissement d'un chacal ou celui du vent dans la carrosserie.

– Tu pensais qu'il travaillait où ton père ? demanda Jo en fouillant dans la boîte.

– Dans le pâté, à la Manupadec.

Il décida de faire levier avec une grosse clef à tube. À peine vingt minutes étaient passées depuis le début de leur tentative d'évasion. Cela paraissait pourtant très long à Victoria. Et Big Buffalo avait peut-être eu le temps de pendre son père à une potence au beau milieu du village.

Quand la fermeture céda enfin, Jo se tourna vers Victoria.

– Je sors le premier et je te dis.

Avant qu'elle puisse répondre, il entrouvrit le coffre, sauta à l'extérieur et referma aussitôt. Victoria n'avait rien pu voir. Elle avait été éblouie par la lumière, le temps d'un flash. Ce n'était pas du tout l'obscurité à laquelle elle s'attendait.

– Je peux sortir ? murmura Victoria, qui

n'était pourtant pas du genre à réclamer des autorisations.

Elle attendit la réponse de Jo.

– Non. Ton père revient. Je le vois. Il est seul.

– Je veux sortir…

Elle ne bougea pas, alors qu'elle n'aurait eu qu'à pousser le couvercle du coffre d'un coup de tête. Victoria faisait étrangement confiance à Jo.

Il y eut un long silence. Quelqu'un contournait la voiture. On entendait juste un léger miaulement qui accompagnait le rôdeur. Était-ce vraiment son père ?

– Victoria ?

La voix sourde venait de sous la voiture. Jo devait s'être blotti sur le sable entre les roues arrière, en dessous de Victoria.

– Oui, répondit-elle.

– Ne laisse pas ton père. Repars avec lui. Je reste ici.

Elle hésitait.

– Il a besoin de toi, dit-il.

Victoria entendit quelqu'un se mettre au volant. La portière se ferma. Elle croyait distinguer des petits sanglots étouffés à l'avant. Oui, c'était son père.

Elle murmura :

– Jo !

La voiture démarra brutalement.

Victoria pensait à Jo, abandonné dans la poussière du Far West. Pourquoi l'avait-elle entraîné dans cette histoire ? Elle se mit en boule, la tête entre les bras. Elle n'entendait plus qu'un bourdonnement dans sa tête.

Elle dut pourtant s'endormir très vite, car le trajet sembla ne durer que quelques secondes. Victoria reconnut sous les pneus le bruit de la minuscule allée de gravier rond, devant sa maison. Elle s'étira. Elle se rappela d'un coup que Jo n'était plus avec elle, que sa mère devait l'attendre depuis deux heures, que son père avait pleuré en se mettant au volant.

Elle l'entendit se changer rapidement dans le garage, cacher ses vêtements derrière la porte de la chaufferie, puis monter pieds nus les quelques marches qui menaient à la cuisine.

– C'est toi ? demanda la mère de Victoria.

Elle l'attendait. Le père balbutia :

– Oui, je rentre plus tôt que prévu… Le patron m'a permis.

Il enchaîna aussitôt, avec une fausse gaieté :

– Lambardet m'a dit : « Mon vieux, avec

ce que vous faites pour notre pâté, vous pouvez bien vous reposer de temps en temps. » Il m'a aidé à mettre mon manteau : « Allez, Adrien, oubliez un peu l'entreprise. Pensez à votre famille. Il est tard. » Le patron m'a appelé par mon prénom, tu te rends compte... ?

Il s'arrêta. Sa femme était livide. Avait-elle deviné ?

– Victoria n'est pas revenue de la bibliothèque, dit-elle.

Il y eut un long silence entre eux, le temps que le père bascule d'une tragédie à une autre et demande :

– Tu n'es pas allée la chercher ?

– Je ne sais pas, répondit la mère, perdue, j'avais peur qu'elle trouve la maison fermée en revenant.

– Quelle heure est-il ?

– Dix heures et quart.

– Elle est peut-être passée chez une amie.

Il prononça cette réplique comme un mauvais acteur. Il avait entendu la phrase dans des films. Le père de Victoria cherchait juste quelques mots rassurants à dire. Tous les deux savaient que Victoria ne passait jamais chez personne. Elle n'avait pas d'ami au sens habituel de ce terme pour des parents, ce mot « ami » qui caractérise toute personne avec laquelle leur enfant écoute de la musique en chaussettes dans une chambre pendant des heures en faisant les pieds aux murs.

Si Victoria avait des amis, ils portaient des *katana* de samouraï, des perruques poudrées, ou ils hantaient la jungle d'Amazonie avec des peintures de guerre. Si elle avait des amis, ils passaient à travers les murs et les pages des livres, ils sortaient le soir de sa penderie et s'appelaient Foster, l'éléphant à poil long échappé d'un cirque, ou Juana, la petite danseuse espagnole qui parcourait la Russie.

– J'y vais, je la trouverai, dit le père de Victoria.

Il remit son manteau et alla vers l'entrée. Il se sentait soudain un peu utile.

Sa femme lui tendit une écharpe. Il la refusa d'un geste comme s'il était trop grand pour qu'on l'habille.

– Je reviens, dit-il.

Il passa la porte, prit la rue de la Patinoire par le trottoir de gauche. Il respirait l'air glacial de la nuit. Il avait l'impression que seul le froid le faisait tenir debout. Des petits cristaux craquaient sous ses pas. Sans ce froid, sa vie aurait peut-être déjà fondu et ruissellerait à côté de lui dans le caniveau. Qu'allait-il pouvoir faire ? Tout lui échappait.

Après quelques minutes, en traversant une avenue déserte, il entendit des pas de loup derrière lui. Il se retourna. Sa femme l'avait rattrapé. Elle était en robe de chambre et en chaussons.

– Victoria est là, dit-elle. Je l'ai vue.

– Où ?

– Dans son lit. Elle dort.

Il s'approcha de sa femme et la serra dans ses bras.

Le collège Pierre-Martial était séparé du lycée par deux grilles très élevées entre lesquelles passait une ancienne voie ferrée. L'herbe recouvrait les rails. Personne ne pouvait accéder à cette bande de territoire qui divisait les deux mondes, une terre vierge avec des buissons bas et des couleuvres en été.

Les deux cours de récréation se faisaient

face. Dans celle du collège, les élèves de quatrième et de troisième passaient leur temps à s'accrocher aux grilles pour observer de l'autre côté les grands animaux sauvages de l'établissement d'en face. Mais les lycéens, eux, s'appliquaient à être parfaitement indifférents aux petits êtres qui s'agitaient et les montraient du doigt. Ils ne daignaient même pas leur jeter un coup d'œil. Les lions aussi font cela, dans les cages, quand ils ignorent les humains de toute leur hauteur.

Victoria, même si elle était attirée par le grand lycée, refusait de jouer aux enfants du zoo. D'habitude, elle ne s'occupait pas de ces fauves marchant au ralenti, ces filles avec des casques sur les oreilles, cette cour plus silencieuse que celle du collège, ces garçons à bonnet, aux yeux mi-clos, qui faisaient rire les demoiselles autour d'eux.

Victoria était au-dessus de tout cela. Les bêtes fauves, elle les chassait en liberté avec un serviteur massaï, des porteurs et un cuisinier, dans les collines du Kenya. Elle les regardait droit dans les yeux, à quelques pas, parmi les herbes couchées du soir.

Mais ce matin-là, Victoria ne put s'empêcher d'aller traîner près de la grille. Il allait peut-être neiger. Elle portait un manteau rouge.

Le petit Jo était-il revenu de leur voyage dans l'imaginaire ? Avait-il été pris par Big Buffalo ? Elle vivait dans la terreur depuis l'aube. Mais tout contre cette peur, dans sa poitrine, il y avait aussi une sensation nouvelle, un petit creux qui lui faisait du mal et du bien à la fois : Jo lui manquait.

Un peu plus loin, Léa Garcia et son escorte l'avaient vue approcher.

Victoria s'accrocha aux barreaux de la grille. Elle chercha Jo du regard. Elle savait que s'il était là, il se montrerait pour la rassurer. Mais il n'y avait pas l'ombre d'un Jo dans la faune du lycée.

Des sourires circulaient dans le clan de Léa. Victoria ne s'en occupait pas. Rien ne pouvait l'arrêter. Elle se mit sur la pointe des pieds et cria par-dessus les vingt mètres de la frontière sauvage :

– Est-ce que quelqu'un connaît Jo ?

Ses cris ne firent bouger personne de l'autre côté.

– Est-ce que quelqu'un a vu Jo, ce matin ?

C'est au collège, derrière elle, que la réaction fut immédiate. Les différents groupes s'arrêtaient de parler. Même les plus jeunes s'avançaient lentement.

– Est-ce que Jo est avec vous ? hurla Victoria en direction du lycée.

Juste à côté, Léa Garcia prenait des airs effarouchés. Elle se mit la main sur le front. Elle devait dire « J'hââl-luuuu-cine » ou quelque chose de ce genre, « J'y croââ pââs ».

Léa Garcia, elle, n'avait jamais tenté autre chose que quelques œillades vers le lycée, une pose alanguie le long de la grille, une petite moue avec la langue entre les dents, ce petit cirque minimaliste qui n'avait donné aucun résultat chez les garçons d'en face, et voilà que Victoria hurlait sa déclaration devant tout le monde.

– Je dois voir Jo ! Où est Jo ?

Un garçon du lycée s'était enfin approché de la grille et la regardait.

– Qu'est-ce que tu lui veux, au petit Jo ?

– Je veux lui parler.

– Il n'est pas là aujourd'hui. Il n'est pas venu.

– Qu'est-ce que tu en sais ?

– Je suis dans sa classe.

Victoria ferma les yeux. Elle imaginait Jo, une balle fichée près d'un poumon, se traînant sur un chemin. Et les vautours volant déjà au-dessus de lui.

– Qu'est-ce que tu en sais ? répéta-t-elle plus faiblement.

Un surveillant arriva dans son dos, l'attrapa par l'épaule et la tourna vers lui.

– Est-ce que tu es folle de crier comme cela ?

Victoria se demandait si elle n'allait pas le devenir, folle. Ses mains étaient rouges de la rouille des barreaux. Elle s'en fit un trait sur le front.

– Tu vas t'asseoir là et attendre la fin de la récréation.

Elle le regardait droit dans les yeux. Avec sa marque rouge et son regard ombrageux, elle faisait presque peur.

– Tu… Tu ne bouges pas d'ici, bafouilla le surveillant. Même le principal a entendu. Il a cru que c'était l'alerte incendie. Redonne-moi ton nom.

– Marianne Dashwood.

Cela faisait trois ans que ce type ne se rappelait pas son nom.

De l'autre côté, le lycéen avait mollement rejoint un groupe de garçons dont les pantalons tombaient si bas sur les genoux qu'avec la distance, et avec leurs bonnets, Victoria avait cru que c'étaient les sept nains en personne.

Le surveillant lui fit épeler Dashwood et la laissa seule.

La semaine précédente, elle disait s'appeler Charlotte Corday, Scarlett O'Hara. Ou Elisha Lee.

Pelotonnée dans son manteau rouge, Victoria se posa sur le muret qui soutenait la grille. Il faisait très froid. Oui, il allait sûrement neiger. Plus loin, Léa Garcia avait du mal à recentrer sur elle l'attention de ses sbires. L'épisode Victoria avait ému quelques cœurs.

On jetait des regards à la jeune héroïne. Mais Victoria était seule au monde. Elle frottait ses mains rouges l'une contre l'autre.

Les groupes se reformèrent lentement, l'émotion se dissipa dans les rangs, la fin de la pause approchait.

Dans le lierre, derrière la grille, par terre à moins d'un mètre de Victoria, une voix demanda :

– Qu'est-ce qu'on fait, maintenant ?

Victoria sentit quelque chose se poser sur sa joue. Peut-être était-ce le premier flocon.

– Qu'est-ce qu'on fait ?

Elle se retourna.

Jo était entré dans la bande sauvage. Il s'était allongé dans la broussaille. Il avait tout entendu.

– J'ai quelque chose à te montrer, Victoria. Tu viens ?

Victoria retenait sa respiration. Elle le regarda, les larmes aux yeux.

– Jo ?

Puis elle se tourna vers le toit d'un abri qui s'appuyait à la grille.

Ce n'était pas impossible. Elle pouvait passer par là et rejoindre Jo. Elle ne bougeait toujours pas. La sonnerie de dix heures retentit en même temps des deux côtés.

Victoria vit les collégiens dériver en direction des bâtiments, tandis qu'au lycée les sept nains retournaient à la mine. Tous avaient déjà oublié Victoria.

Elle souffla entre ses mains pour les réchauffer et se barbouilla de rouge.

– Tu viens ? dit Jo. Allez. Réveille-toi.

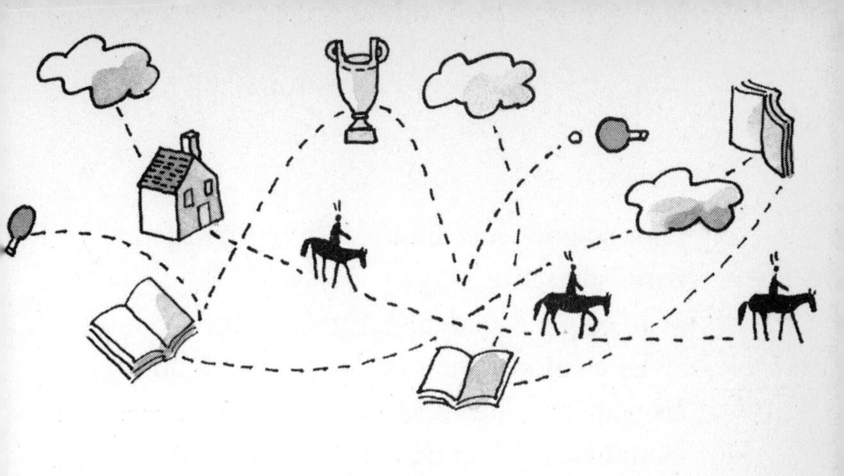

# 6

## Sur elle

Ils marchaient tous les deux sur la route. Il neigeait. Elle portait son manteau écarlate, et lui son écharpe noire. Un camion les avait d'abord pris en stop. Le chauffeur avait demandé ce qu'ils faisaient là. Victoria avait expliqué qu'ils n'avaient pas de cours ce vendredi, qu'elle était avec son petit frère, que leur grand-mère était malade, et qu'ils lui apportaient du miel et un petit pot de beurre pour soigner son angine. Cette réponse parut suffisante.

Jo écoutait parler Victoria, fasciné.

Le camion venait de les déposer à un croisement. Une flèche indiquait la manufacture de pâtés et de conserves. La neige recouvrait l'épaisseur de la pancarte.

– Pourquoi tu m'emmènes ici ? demanda Victoria.

Jo ne répondit pas. Elle était venue une seule fois au bureau de son père. C'était il y avait longtemps, pour un arbre de Noël de l'usine. Elle avait gagné un saucisson sec à la pêche à la ligne. Elle reconnaissait le bâtiment gris mais il manquait la moitié des lettres de la grande enseigne en métal.

Ils traversèrent le parking désert. La fine couche de neige disparaissait sous leurs pas. Ils se dirigèrent vers la porte vitrée de l'accueil. Victoria se souvenait des guirlandes clignotantes, des deux sapins de Noël qui encadraient cette porte autrefois. La vitrine était désormais brisée. Pas une seule lumière à l'intérieur.

Ils entrèrent en poussant doucement la porte. Il y avait encore une affiche « Pour les fêtes, je débouche le pâté », avec une boîte de miettes de porc en forme de bouteille de champagne.

– Jo, dit Victoria, où est passé mon père ?

Jo s'approcha d'elle.

– La Manupadec a fermé en janvier. Il y a dix mois.

Victoria s'écarta brusquement de lui.

– Pourquoi tu dis ça ?

– Parce que c'est vrai.

– Tais-toi. Laisse-moi.

Il la suivit.

– Ton père ne vous a rien dit. Mais hier,

en sortant de la voiture, j'ai vu où il allait chaque soir. J'ai interrogé des gens là-bas. Ton père avait retrouvé un petit boulot dans le spectacle de West & Food, sur l'autoroute du Nord. Il a été renvoyé cette nuit parce qu'il est trop vieux pour le rôle.

Victoria faillit se jeter une nouvelle fois sur Jo.

– Il n'est pas vieux, mon père ! Et ton père, à toi ? Où est-ce qu'il est ? Hein ? Tu ne sais même pas ce que c'est qu'un père.

Jo regardait Victoria. Il restait debout malgré les coups, ces flèches empoisonnées qui visaient ses blessures. Victoria s'accrochait à son rêve. Elle pleurait, accroupie. Elle retenait son enfance à bout de bras comme un ballon plus léger que l'air.

– Tu mens, dit-elle. Vous mentez tous.

Elle réfléchit.

– Et l'horloge ? Elle est partie où, l'horloge ?

– Quelle horloge ? demanda doucement Jo.

– Et les Cheyennes ? D'où ils sortent ? Je ne rêve pas ! Même toi, tu parlais des Cheyennes…

– Victoria, je t'ai dit que j'ai retrouvé le livre. C'est fini.

– Le livre ? interrogea Victoria dans un sanglot.

Victoria jeta un coup d'œil mouillé à Jo.

– Le livre ?

Elle revoyait tout le jeu d'ombres auquel elle avait cru.

*Les Trois Cheyennes.*

Il avait suffi de si peu.

Au milieu de ses larmes, elle fit un sourire triste et imperceptible.

Jo ne remarqua rien. Il regardait, à travers une vitre cassée, une voiture qui arrivait lentement sur la route. Victoria, les genoux à terre, ne bougeait plus.

– Il y a quelqu'un, souffla Jo en se baissant.

La voiture s'était arrêtée au milieu du parking immense, dans la neige.

– C'est peut-être la police, dit-il. Des gens sont venus ici pour piller depuis la fermeture. On va sortir par-derrière.

– Attends, dit Victoria.

Un silence passa. Elle regardait tomber la neige.

– Viens. Ça peut être dangereux.

– Non.

– Viens avec moi.

Immobile, elle semblait hypnotisée par la neige.

– Victoria…

– Attends, dit-elle. C'est lui.

Malgré le rideau de flocons blancs, elle venait de reconnaître la voiture de son père. Jo était revenu près d'elle.

– Tu es sûre ?

– Qu'est-ce qu'il fait là ? se demanda-t-elle.

Les phares s'étaient éteints. Il devait être midi. Le jour restait très pâle. Elle sentait l'épaule de Jo contre la sienne. Ils regardaient devant eux.

– Les journées sont longues, dit Jo qui comprenait peu à peu. Il continue à partir tôt. Il revient le soir chez toi. Il faut bien passer le temps. Alors il vient ici. Il reste dans sa voiture.

Aucune des portières ne s'était ouverte. Victoria frissonna. Oui, son père attendait le soir.

– Il attend, dit-elle.

Elle se leva, fit un pas vers la porte. Elle sortit. La vitre de la voiture était maintenant couverte d'une fine couche de neige. Son père ne pouvait pas la voir s'avancer vers lui. Sans bouger, Jo regarda Victoria marcher dans le grand parking blanc. La silhouette rouge glissait lentement.

Victoria n'avait pas froid. Elle n'avait pas peur. Elle se disait soudain que c'était cela, aussi, l'aventure. Marcher vers cette pauvre voiture avec la trace de portail sur le pare-chocs. Marcher vers son père qui attendait.

Elle s'arrêta tout près du capot. Elle respira profondément, souffla un grand nuage bleuté, puis, avec sa main nue, elle balaya la neige sur un coin de vitre.

– Papa ?

Il était assis sur son siège légèrement incliné. À côté de lui étaient entassés des livres, trente livres peut-être. Les livres de Victoria.

Il en lisait un avec des gants de laine.

Aveuglée par l'émotion, Victoria regarda le titre. C'était son préféré.

– Ah, c'est toi, dit-il seulement.

Il ouvrit la vitre, à peine surpris, bouleversé.

– Entre.

Victoria alla s'asseoir sur la banquette arrière. Ils restèrent silencieux à se regarder dans le rétroviseur.

– J'ai l'air bête, dit son père.

– Non. Tu n'as jamais eu l'air moins bête.

Il fit un sourire touché.

– Je ne voulais pas vous inquiéter, dit son père. C'est parce que je ne voulais pas vous inquiéter, ta mère, toi et ta sœur.

– Je sais.

Leurs yeux ne se quittaient pas. Il faisait tiède dans la voiture.

– On rentre à la maison ? dit le père.

– Attends.

Elle ouvrit la porte et cria dans la neige :

– Jo !

Jo sortit de l'usine et s'approcha. Ses mains étaient enfoncées dans ses poches. Il vint s'asseoir à côté d'elle.

– Bonjour, monsieur.

– Bonjour.

Le père de Victoria démarra le moteur. Il mit en route les essuie-glaces, qui luttèrent quelques secondes contre la neige. Jo attrapa un livre sur le dessus de la pile et le feuilleta.

– C'est bien ?

Le père se retourna, regarda le livre.

– Ah oui, c'est bien. Si vous saviez comme c'est bien.

– Vous me le prêtez ?

– Demandez à Victoria. C'est à elle.

La voiture se mit à rouler. Jo rendit le livre à Victoria.

– Et l'horloge ? demanda-t-elle.

– Je l'ai donnée pour emprunter des sous, dit le père. Pour le voyage de ta sœur.

Victoria ne sentait même pas de colère en elle.

Son père avait découvert la lecture.

– Mais si je rembourse un jour, continua son père, je la récupérerai, cette horloge. Je l'aime bien.

– Moi aussi, répondit-elle.

Jo avait fermé les yeux pour se faire oublier.

– Et ça ? demanda Victoria en montrant un objet posé à côté d'elle.

– Ça, je le garde. Finalement, je le

garde. C'est un souvenir. C'est important, les souvenirs.

C'était la coupe du tournoi de ping-pong du camping des Vasières à Barlodu. Le prêteur avait voulu lui faire croire qu'elle n'était pas en argent massif. Le voleur.

Ils roulèrent encore longtemps dans la neige. Ils étaient seuls sur la route. On approchait de Chaise-sur-le-Pont.

– Ça va s'arranger, dit Victoria.

– Oui.

Et ils ne mentaient pas. Tous les trois, ils étaient sûrs que tout allait s'arranger. Ensemble, tout pouvait s'arranger. Le père pensait aux mots qu'il allait dire à sa femme. Jo pensait à ceux qu'il voulait dire à Victoria. Et Victoria ne pensait même pas à sa sœur qui reviendrait le lendemain après son cauchemar italien.

Victoria pensait à ses rêves de courir le monde en cargo, de se réveiller sous une tente sioux, de nager avec des troupeaux de chevaux, de jouer de la cornemuse en haut des falaises, de crier, de se battre, de s'habiller en hussard, d'être chef d'orchestre... Victoria n'abandonnait aucun de ses rêves. Et d'autres lui venaient encore. Dormir dans un train à vapeur en Inde, plonger du haut des icebergs. Voler dans les airs.

Mais elle sentait pour la première fois la beauté de certaines choses de sa vie, tout ce qui lui appartenait déjà : la forme ronde d'une larme de son père sur la page d'un livre, la fragilité, l'incertitude du lendemain, la main de Jo secrètement sur elle.

# Table des matières

# Timothée de Fombelle

## L'auteur

**Timothée de Fombelle** est né en 1973. D'abord professeur de lettres en France et au Vietnam, il se tourne tôt vers la dramaturgie. En 2006 paraît son premier roman pour la jeunesse, *Tobie Lolness*. Couronné de nombreux prix prestigieux (prix Saint-Exupéry, prix Tam-Tam, prix Sorcières...), en France comme à l'étranger, ce récit illustré par François Place connaît un succès international (traduit en vingt-huit langues). Après un vibrant plaidoyer en faveur de l'écologie, *Céleste, ma planète*, il écrit *Vango*, époustouflant roman d'aventures en deux tomes qui séduit les lecteurs comme la critique.
Avec *Victoria rêve*, Timothée de Fombelle a retrouvé avec bonheur son complice François Place, qui a prolongé en images le rêve de Victoria.

**Du même auteur chez Gallimard Jeunesse**

FOLIO JUNIOR

*Céleste, ma planète*, n° 1495

**Tobie Lolness**

*1. La Vie suspendue*, n° 1528

*2. Les Yeux d'Elisha*, n° 1551

GRAND FORMAT LITTÉRATURE

**Tobie Lolness**

*1. La Vie suspendue*

*2. Les Yeux d'Elisha*

**Vango**

*1. Entre ciel et terre*

*2. Un prince sans royaume*

*Vango, l'intégrale*

*Victoria rêve*

ÉCOUTEZ-LIRE

*Victoria rêve* (lu par l'auteur)

## François Place

### L'illustrateur

**François Place** est né en 1957. Il a étudié à l'école des arts et industries graphiques Estienne à Paris, avant de travailler comme illustrateur, d'abord pour la publicité, puis pour l'édition jeunesse. Son premier livre comme auteur-illustrateur, *Le Livre des navigateurs*, paraît en 1988 chez Gallimard Jeunesse. Son album *Les Derniers Géants* (Casterman), son récit *Le vieux fou de dessin* (Gallimard Jeunesse) et sa série sur les *Géographes d'Orbæ* (Casterman/Gallimard) lui ont valu de nombreux prix de par le monde, et notamment le Prix Bologna Ragazzi en 2012. Il collabore aussi avec des auteurs et s'instaure entre eux une véritable relation de complicité : Érik L'Homme (*Contes d'un royaume perdu*), Timothée de Fombelle (*Tobie Lolness*, *Victoria rêve*) et bien sûr Michael Morpurgo. Il est également l'auteur de *La Douane volante*, un premier roman qui a reçu, en 2010, le prix Lire du meilleur roman jeunesse.

Découvre d'autres livres
de **Timothée de Fombelle**

dans la collection

## CÉLESTE, MA PLANÈTE

n° 1495

Elle est apparue un matin dans l'ascenseur. On a monté cent quinze étages en silence. Puis elle est entrée dans l'école, comme moi. Pendant la récréation, elle est restée dans la classe. Moi, penché au parapet de la terrasse de verre, je me répétais : « Ne tombe pas, ne tombe pas, ne tombe pas ». J'avais peur de tomber amoureux. À l'heure du déjeuner, elle est partie et n'a jamais remis les pieds au collège. Il fallait que je la retrouve.

## TOBIE LOLNESS
## 1. LA VIE SUSPENDUE

n° 1528

Courant parmi les branches, épuisé, les pieds en sang, Tobie fuit, traqué par les siens... Tobie Lolness ne mesure pas plus d'un millimètre et demi. Son peuple habite le grand chêne depuis la nuit des temps. Parce que son père a refusé de livrer le secret d'une invention révolutionnaire, sa famille a été exilée, emprisonnée. Seul Tobie a pu s'échapper. Mais pour combien de temps ?

TOBIE LOLNESS

## 2. LES YEUX D'ELISHA

n° 1551

Le grand chêne où vivent Tobie et les siens est blessé à mort. Les mousses et les lichens ont envahi ses branches. Léo Blue règne en tyran sur les Cimes et retient Elisha prisonnière. Les habitants se terrent. Les Pelés sont chassés sans pitié. Dans la clandestinité, Tobie se bat, et il n'est pas le seul. Au plus dur de l'hiver, la résistance prend corps. Parviendra-t-il à sauver son monde fragile ? Retrouvera-t-il Elisha ?

Le papier de cet ouvrage est composé de fibres naturelles, renouvelables, recyclables et fabriquées à partir de bois provenant de forêts gérées durablement.

Mise en pages : Maryline Gatepaille

Loi n° 49-956 du 16 juillet 1949
sur les publications destinées à la jeunesse
ISBN : 978-2-07-065513-7
Numéro d'édition : 254466
Dépôt légal : novembre 2013

Imprimé en Espagne par Novoprint (Barcelone)